JAN 23 2017

D1106448

VILLE DE VINCENNES

CAISSE DES ÉCOLES

❖❖❖❖❖

DISTRIBUTION DES PRIX

ÉCOLE ....

Classe ....

Décerné à l'élève ....

Le ....

Le Maire   Le Directeur
Laurent LAFON

Un grand merci au médecin-conseil
Docteur Frédéric Milvoy
pour ses relectures.
A. V.

Loi n° 49-956 du 16 juillet 1949
sur les publications destinées à la jeunesse.
© Éditions Nathan, 2008.
© Éditions Nathan, 2011 pour la présente édition.
ISBN : 978-2-09-253302-4
N° d'éditeur : 10179628
Dépôt légal : mai 2011
Imprimé en Italie

QUESTIONS RÉPONSES

4/6 ans

Le corps humain

Texte d'**Agnès Vandewiele**
Illustrations de **Vincent Desplanche**

Nathan

Tous différents !

Tu ressembles un peu à ton papa et un peu à ta maman.
C'est normal, ils t'ont tous les deux transmis la moitié
de leurs caractéristiques physiques. Pourtant, tu es unique !

Pourquoi j'ai les yeux bleus et mes parents les yeux marron ?

Ils ont pu te transmettre cette couleur d'yeux,
car ils ont des membres de leur famille
qui ont les yeux bleus, tes grands-parents,
par exemple.

Pourquoi les filles et les garçons sont-ils différents ?

Parce qu'ils ont des organes
sexuels différents qui leur
permettront d'avoir des enfants.

Pourquoi je suis plus petit que les autres ?

Les enfants ne grandissent pas à la même
vitesse. Tu peux être aujourd'hui le plus petit
de ta classe et devenir ensuite le plus grand.

D'où vient la couleur de ma peau ?

Elle vient de tes parents.
Si l'un d'eux a la peau noire
et l'autre la peau blanche,
ta couleur de peau sera sûrement
entre les deux, métissée.

Pourquoi les frères et sœurs sont-ils différents ?

Chaque enfant reçoit un mélange différent
et unique de ses parents. L'un peut avoir
la couleur de cheveux de la maman et l'autre
celle du papa. Ils ne sont pas identiques
mais ont quand même un «air de famille».

Existe-t-il un enfant exactement comme moi ?

Non, il n'y a personne comme toi.
Les petites lignes creusées
dans la peau au bout des doigts,
les empreintes digitales, le prouvent :
il n'y en a pas deux pareilles, sauf
celles de vrais jumeaux.

Les jumeaux sont-ils vraiment pareils ?

Les vrais jumeaux sont les seuls
à avoir reçu les mêmes
caractéristiques physiques.
Ils se ressemblent comme deux
gouttes d'eau. Mais ils peuvent
se différencier par leur caractère
ou leurs goûts.

Cherche dans l'image !

une écharpe

des billes

des lunettes

Je bouge !

Ton corps est une fantastique machine vivante faite d'os, de muscles et de beaucoup d'eau qui la font fonctionner. Cela te permet de courir, sauter, grimper...

Comment mon corps tient-il debout ?

Grâce aux os qui forment le squelette et rendent ton corps solide.

Pourquoi je transpire quand j'ai chaud ?

Pour refroidir ton corps et maintenir sa température à 37°C. Celui-ci évacue la chaleur sous forme d'eau chaude : c'est la transpiration.

Comment mon corps peut-il bouger ?

Grâce aux muscles qui recouvrent ton squelette et aux articulations entre les os. C'est ton cerveau qui contrôle l'ensemble.

À quoi ça sert de respirer?

À faire vivre chaque partie de ton corps. En respirant, tu avales de l'oxygène qui est dans l'air et qui sert à « nourrir » tous tes organes.

De quoi est fait le corps?

De plus de mille milliards de petites cellules que l'on ne peut voir qu'au miscroscope, de 650 muscles, de 206 os et bien sûr de tous les organes qui nous servent à vivre : le cœur, les poumons, le foie…

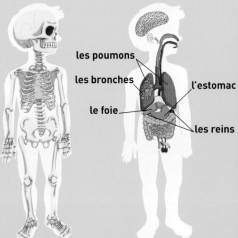

les poumons

les bronches

le foie

l'estomac

les reins

Pourquoi faut-il faire du sport?

Ton corps a besoin de bouger pour rester en pleine forme. Faire du sport facilite la circulation du sang, t'aide à mieux respirer, te rend plus souple et renforce tes muscles.

Pourquoi mon cœur bat-il?

Pour faire circuler le sang qui distribue de l'oxygène dans tout ton corps. Il fonctionne comme une pompe. Plus tu fais des efforts, plus tu as besoin d'oxygène, plus il bat vite.

Cherche dans l'image!

une poutre

un plot

un cerceau

J'ai faim !

Petit déjeuner, déjeuner, goûter et dîner, tous les repas sont importants. Il faut manger varié pour être en bonne santé et avoir plein d'énergie !

Pourquoi mon ventre fait-il du bruit ?

Quand ton estomac se vide, il fait des gargouillis pour te dire qu'il faut manger à nouveau.

Pourquoi je dois boire même si je n'ai pas soif ?

Pour remplacer toute l'eau que tu perds dans la journée en transpirant, en respirant et en faisant pipi. Plus de la moitié de ton corps est fait d'eau.

À quoi ça sert de manger ?

Manger est un plaisir et un besoin. Les aliments fournissent à ton corps l'énergie dont il a besoin pour fonctionner.

Pourquoi faut-il manger un peu de tout ?

Chaque aliment apporte quelque chose de différent : certains aident à grandir, comme la viande et le poisson, d'autres à fortifier les os, comme les produits laitiers, ou à avoir de l'énergie, comme les pâtes et le riz.

Où vont les aliments que l'on a avalés ?

Ils descendent dans l'estomac où ils sont transformés en bouillie : c'est la digestion. Puis ils vont dans l'intestin : ce qui est bon passe dans le sang pour aller nourrir ton corps, le reste est évacué.

la bouche

l'œsophage

l'estomac

le gros intestin

l'intestin grêle

Pourquoi ai-je envie de faire pipi et caca ?

Pendant la digestion, l'intestin et les reins font le tri de ce que tu as mangé et bu : ce qui ne sert à rien est rejeté. C'est le caca, solide, et le pipi, liquide.

C'est quoi, une allergie ?

Lorsque ton corps ne supporte pas certains aliments, tu peux être très malade : c'est une allergie. Dans ce cas-là, tu ne dois pas les manger.

Cherche dans l'image !

un yaourt

un collier

un dessous de plat

Je pense tout le temps !

Ton cerveau est un véritable chef d'orchestre ; il donne les ordres à chaque partie de ton corps. Fait de cent milliards de cellules nerveuses, il te permet aussi d'apprendre plein de choses et de réfléchir.

Mon cerveau travaille-t-il sans arrêt ?

Oui, même quand tu dors. Il continue alors à commander la digestion, la respiration, les battements de ton cœur et ton sommeil.

Comment j'apprends à faire de nouvelles choses ?

Par la répétition ! Plus tu fais un geste, plus il te deviendra facile de le faire, car le cerveau l'a enregistré dans ta mémoire.

Est-ce que le cerveau grandit ?

Oui, à l'âge adulte il est quatre fois plus grand qu'à la naissance. Toute ta vie, tu continueras à apprendre plein de choses.

Comment je me rappelle les paroles d'une chanson ?

En cherchant dans ta mémoire. Chaque chanson que tu as apprise y est rangée, un peu comme un livre dans une bibliothèque. Si tu veux la chanter, il te suffit d'ouvrir ce livre.

Comment le cerveau perçoit-il ce qui l'entoure ?

Grâce aux nerfs qui le relient à toutes les parties du corps et aux organes des sens : les nerfs sont comme des fils de téléphone, ils entendent tout dans le corps et autour, et ils transmettent aussi les ordres du cerveau au corps : « cours, marche, saute... »

le cerveau

la mœlle épinière (le centre des nerfs)

les nerfs

Comment j'arrive à faire plein de choses en même temps ?

Parce que le cerveau commande beaucoup d'activités différentes. Il est divisé en plusieurs zones : une pour penser, une pour parler, une pour entendre... qui fonctionnent en même temps.

Cherche dans l'image !

une théière

un cube

un xylophone

13

Je découvre le monde !

Tu vois, tu entends, tu sens, tu touches et tu goûtes.
Toutes ces informations, transmises à ton cerveau,
te permettent d'apprécier le monde qui t'entoure.

Pourquoi j'aime les gâteaux ?

Sur la langue, tu as des milliers de papilles
sensibles aux goûts. Ton cerveau enregistre
les aliments que tu aimes. Souvent, les enfants
préfèrent le doux goût sucré des gâteaux
à ce qui est salé, amer ou acide !

Comment voit-on ?

Grâce à la lumière
qui entre par le petit
trou noir au milieu de
chaque œil, la pupille.

Comment je peux sentir les fleurs ?

Au fond de ton nez, des petits cils réceptionnent
les odeurs et transmettent l'information reçue
à ton cerveau qui te dit si tu aimes l'odeur ou pas.

Pourquoi retire-t-on sa main quand ça brûle ?

Pour ne plus avoir mal et protéger le corps ! Les capteurs de la peau envoient un message de douleur au cerveau qui donne aussitôt l'ordre à tes muscles de retirer la main.

Est-ce vrai que les aveugles entendent très bien ?

Oui, car lorsque l'un des sens ne fonctionne pas, les autres sens se développent. Un aveugle est attentif à tous les sons. Il est capable de reconnaître une personne à sa voix et au bruit de ses pas.

Pourquoi certains bruits font-ils mal aux oreilles ?

Les sons font vibrer une petite peau très fine au fond de chaque oreille : ce sont les tympans. Si le bruit est trop fort, les vibrations sont plus importantes et tu as mal.

Pourquoi j'aime caresser ma peluche ?

Le bout de tes doigts est l'une des parties les plus sensibles de ton corps. Il est couvert de petits capteurs qui reconnaissent ce qui est doux de ce qui pique.

Cherche dans l'image !

un seau

un ballon

un écureuil

Toujours propre !

Pour garder ton corps en bonne santé, il faut te laver tous les jours. N'oublie pas de te savonner les mains avant de manger et de te brosser les dents après chaque repas.

Pourquoi dois-je couper mes ongles ?

Pour éviter que les saletés se glissent dessous. Comme les ongles poussent tout le temps, d'environ 4 cm par an, il faut les couper régulièrement.

Pourquoi je ne peux pas mettre la même salopette tous les jours ?

Parce que les vêtements se salissent. Ils sentent alors très mauvais et transportent plein de microbes. Il faut donc les laver, comme toi !

Pourquoi faut-il se brosser les dents ?

Des morceaux d'aliments peuvent se coincer dans tes dents. Il faut les retirer pour éviter que des microbes se développent et fassent des petits trous dans tes dents : les caries.

Pourquoi est-ce que je dois me laver?

Pour te débarrasser de la sueur, de la peau morte et des poussières. Tu évites ainsi aux microbes de se développer et de provoquer des maladies.

À quoi servent les poils?

Ils protègent ton corps du froid et du soleil et aident à évacuer la transpiration. Les poils poussent partout sur ta peau, sauf à l'intérieur des mains et sous les pieds. Les plus visibles sont les cheveux, les cils et les sourcils.

Pourquoi a-t-on aussi des poils dans le nez et les oreilles?

Pour empêcher des éléments extérieurs, comme la poussière d'entrer dans le corps.

À quoi sert le shampoing?

À débarrasser les cheveux de la substance grasse qu'ils fabriquent, tout comme le savon nettoie la peau.

Cherche dans l'image!

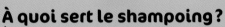

un canard

un coupe-ongles

une chaussette

Je dors !

Tu bâilles, tu te frottes les yeux, tu as sommeil. C'est l'heure de te coucher. Après une bonne nuit, tu seras à nouveau en pleine forme !

Pourquoi je dors avec une couette ?
Car la température de ton corps baisse quand tu dors et tu as froid.

Pourquoi mes yeux se ferment-ils quand je m'endors ?
Tous tes muscles se relâchent, même ceux de ton visage. Alors les muscles de tes paupières ne tiennent plus tes yeux ouverts.

Pourquoi fait-on la sieste quand on est petit ?
Grandir demande beaucoup d'énergie. C'est pour cela que plus on est petit, plus on doit dormir, et donc faire la sieste, pour récupérer des forces.

Pourquoi je rêve ?

Les rêves sont une manière de revivre ou de mémoriser des moments de la journée. Ton cerveau fabrique une histoire pendant ton sommeil en mélangeant tes souvenirs et tes envies. Tu rêves toutes les nuits mais tu ne t'en souviens pas toujours.

Pourquoi ai-je besoin de dormir ?

Pendant le sommeil, tout fonctionne au ralenti, ce qui permet à ton corps et à ton cerveau de se reposer.

Pourquoi je me réveille la nuit ?

Parce qu'il y a des moments où ton sommeil est plus léger. Un petit bruit ou une envie de faire pipi peut alors te réveiller facilement.

tic tac

Pourquoi les cauchemars me font-ils peur ?

Car ils te semblent réels au moment où tu te réveilles. Mais les cauchemars ne sont que de mauvais rêves.

Cherche dans l'image !

un livre

une veilleuse

un poney

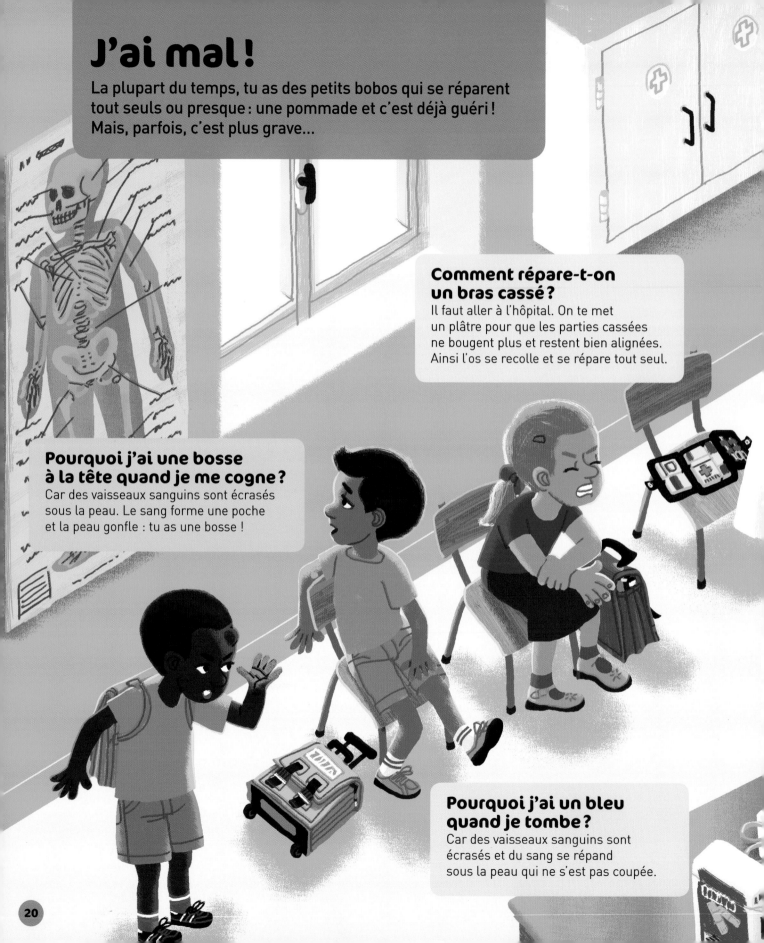

J'ai mal !

La plupart du temps, tu as des petits bobos qui se réparent tout seuls ou presque : une pommade et c'est déjà guéri ! Mais, parfois, c'est plus grave...

Comment répare-t-on un bras cassé ?

Il faut aller à l'hôpital. On te met un plâtre pour que les parties cassées ne bougent plus et restent bien alignées. Ainsi l'os se recolle et se répare tout seul.

Pourquoi j'ai une bosse à la tête quand je me cogne ?

Car des vaisseaux sanguins sont écrasés sous la peau. Le sang forme une poche et la peau gonfle : tu as une bosse !

Pourquoi j'ai un bleu quand je tombe ?

Car des vaisseaux sanguins sont écrasés et du sang se répand sous la peau qui ne s'est pas coupée.

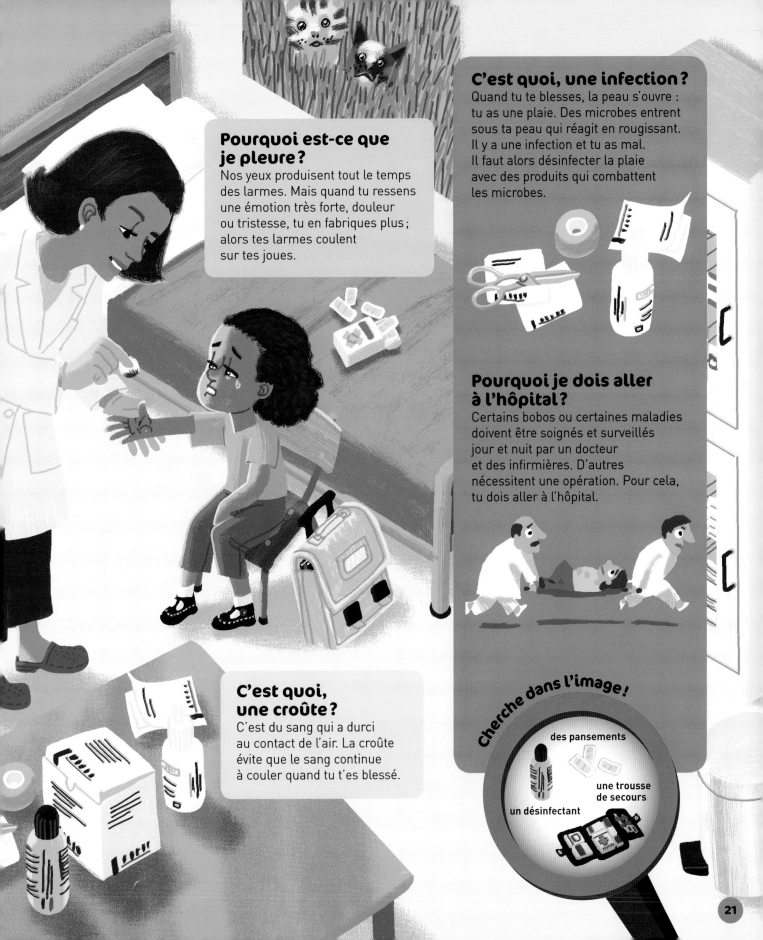

Pourquoi est-ce que je pleure?

Nos yeux produisent tout le temps des larmes. Mais quand tu ressens une émotion très forte, douleur ou tristesse, tu en fabriques plus ; alors tes larmes coulent sur tes joues.

C'est quoi, une infection?

Quand tu te blesses, la peau s'ouvre : tu as une plaie. Des microbes entrent sous ta peau qui réagit en rougissant. Il y a une infection et tu as mal. Il faut alors désinfecter la plaie avec des produits qui combattent les microbes.

Pourquoi je dois aller à l'hôpital?

Certains bobos ou certaines maladies doivent être soignés et surveillés jour et nuit par un docteur et des infirmières. D'autres nécessitent une opération. Pour cela, tu dois aller à l'hôpital.

C'est quoi, une croûte?

C'est du sang qui a durci au contact de l'air. La croûte évite que le sang continue à couler quand tu t'es blessé.

Cherche dans l'image!

des pansements

une trousse de secours

un désinfectant

Je suis malade !

Tu as mal, tu as de la fièvre : ton corps est attaqué par des microbes. Heureusement, il a des armes pour se défendre. Mais cela ne suffit pas toujours, et il faut alors voir un docteur.

Comment le docteur trouve-t-il ce qui ne va pas ?

Il te demande où tu as mal et examine les différentes parties de ton corps avec ses instruments ; il écoute les battements de ton cœur et ta respiration, il regarde l'intérieur de tes oreilles et le fond de ta gorge.

Pourquoi mon nez coule-t-il parfois ?

Quand ton nez est plein de microbes, il produit beaucoup de liquide pour se défendre : il coule, et tu es enrhumé.

Pourquoi ai-je de la fièvre ?

La fièvre montre que ton corps essaie de se défendre contre une maladie.

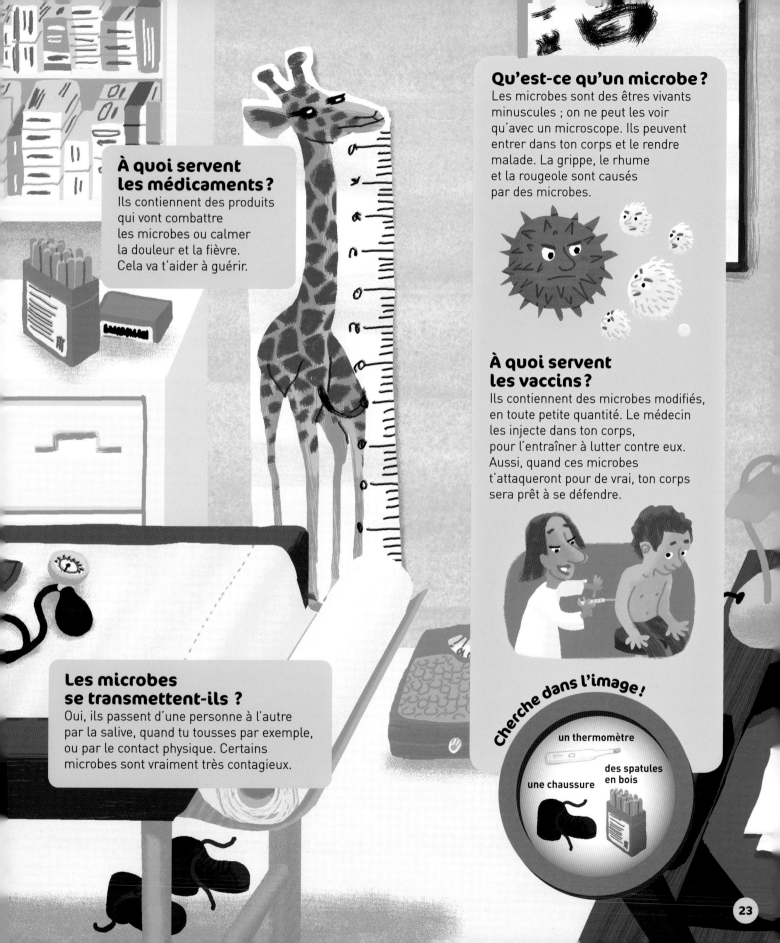

À quoi servent les médicaments ?

Ils contiennent des produits qui vont combattre les microbes ou calmer la douleur et la fièvre. Cela va t'aider à guérir.

Qu'est-ce qu'un microbe ?

Les microbes sont des êtres vivants minuscules ; on ne peut les voir qu'avec un microscope. Ils peuvent entrer dans ton corps et le rendre malade. La grippe, le rhume et la rougeole sont causés par des microbes.

À quoi servent les vaccins ?

Ils contiennent des microbes modifiés, en toute petite quantité. Le médecin les injecte dans ton corps, pour l'entraîner à lutter contre eux. Aussi, quand ces microbes t'attaqueront pour de vrai, ton corps sera prêt à se défendre.

Les microbes se transmettent-ils ?

Oui, ils passent d'une personne à l'autre par la salive, quand tu tousses par exemple, ou par le contact physique. Certains microbes sont vraiment très contagieux.

Cherche dans l'image !

un thermomètre

des spatules en bois

une chaussure

Un nouveau bébé !

Dans un acte d'amour, ton papa et ta maman ont conçu un bébé. Le ventre de ta maman grossit, tu sens le bébé bouger à l'intérieur et tu te poses plein de questions. Que fait-il toute la journée là-dedans ?

Peut-on voir le bébé dans le ventre ?

Oui, grâce à l'échographie : c'est un examen qui permet de voir sur un écran l'image du bébé à l'intérieur du ventre, même lorsqu'il a la taille d'un haricot.

Comment se nourrit-il ?

Grâce à un tuyau, le cordon ombilical, qui le relie au sang de la maman. Il lui apporte tout ce dont il a besoin pour vivre et grandir : aliments, eau et oxygène.

Le bébé entend-il quand on lui parle ?

Oui, dès le troisième mois, il entend des sons. Au cinquième mois, ils lui deviennent familiers.

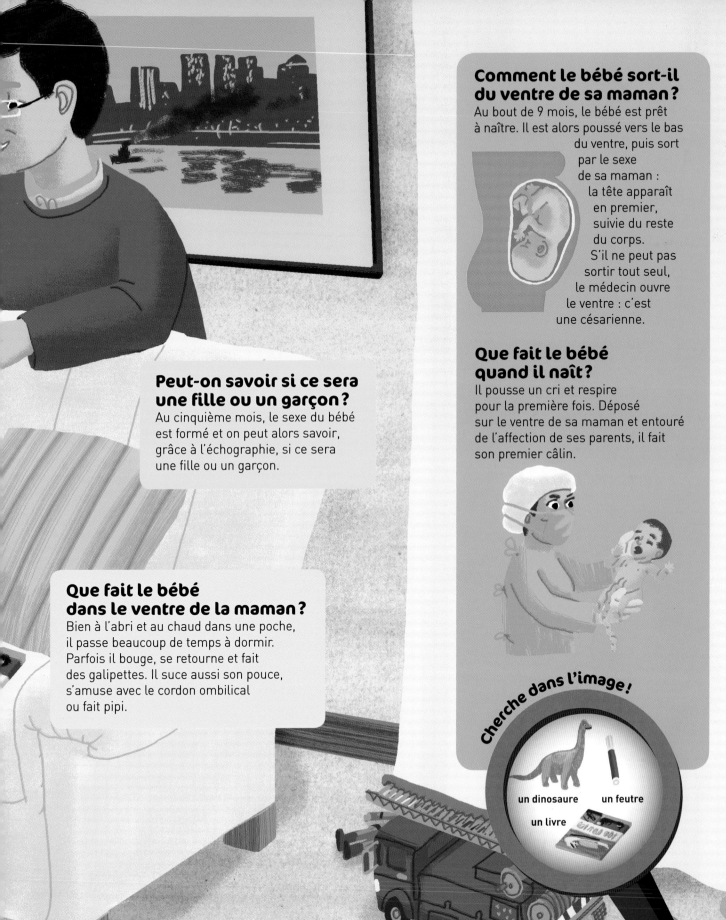

Comment le bébé sort-il du ventre de sa maman ?

Au bout de 9 mois, le bébé est prêt à naître. Il est alors poussé vers le bas du ventre, puis sort par le sexe de sa maman : la tête apparaît en premier, suivie du reste du corps. S'il ne peut pas sortir tout seul, le médecin ouvre le ventre : c'est une césarienne.

Que fait le bébé quand il naît ?

Il pousse un cri et respire pour la première fois. Déposé sur le ventre de sa maman et entouré de l'affection de ses parents, il fait son premier câlin.

Peut-on savoir si ce sera une fille ou un garçon ?

Au cinquième mois, le sexe du bébé est formé et on peut alors savoir, grâce à l'échographie, si ce sera une fille ou un garçon.

Que fait le bébé dans le ventre de la maman ?

Bien à l'abri et au chaud dans une poche, il passe beaucoup de temps à dormir. Parfois il bouge, se retourne et fait des galipettes. Il suce aussi son pouce, s'amuse avec le cordon ombilical ou fait pipi.

Cherche dans l'image !

un dinosaure   un feutre

un livre

Je grandis !

D'année en année, tu grandis : ton corps se transforme, tu apprends à faire de nouvelles choses. D'abord enfant, puis adolescent, tu seras un jour adulte, comme tes parents !

Comment sait-on qu'on devient un homme ?

À l'adolescence, entre 12 et 16 ans, des poils apparaissent sur le visage, puis sur le corps ; la voix devient plus grave, les muscles se développent.

Pourquoi est-ce que je grandis ?

Parce que ton corps contient une substance, l'hormone de croissance, qui fait grandir tes os et toutes les parties de ton corps.

À quel âge je serai vraiment grand ?

Entre 18 et 20 ans environ, tu atteindras ta taille d'adulte.

À partir de quel âge une fille peut-elle avoir des bébés ?

Entre 10 et 14 ans, dès que son corps devient celui d'une femme : les poils apparaissent, la poitrine se forme et les hanches s'arrondissent. Bien sûr, elle est encore trop jeune pour être maman !

Pourquoi papi a-t-il des cheveux blancs ?

En vieillissant, le corps ne fabrique plus la substance qui colore les cheveux. Ils deviennent alors tout blancs.

Peut-on vivre plus de 100 ans ?

Peu de personnes vivent aussi longtemps car le corps se fatigue et les organes fonctionnent de moins en moins bien. Un jour, le cœur cesse de battre pour se reposer pour toujours.

Pourquoi mamie a-t-elle besoin d'une canne ?

Avec l'âge, le corps devient moins souple et les muscles moins forts. Les personnes âgées ont alors besoin d'une canne pour les aider à marcher.

Cherche dans l'image !

un appareil photo

un chien

une bouteille

Le sais-tu ?

D'où vient la parole ?

Le son est produit par les cordes vocales situées dans ta gorge, lors du passage de l'air venant de tes poumons. Ce bruit se transforme en parole quand tu articules à l'aide de la langue et des lèvres. Tous ces mouvements sont commandés par le cerveau.

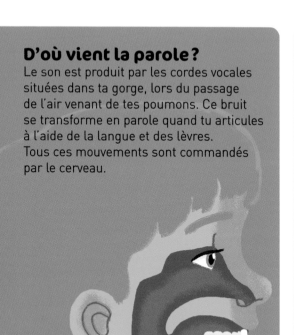

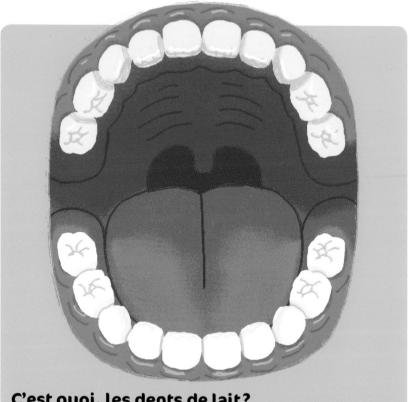

C'est quoi, les dents de lait ?

Ce sont tes 20 premières dents qui sortent quand tu es encore un bébé. Vers 6 ans, ces dents tombent et sont remplacées par 32 dents que tu garderas toute ta vie.

Pourquoi fait-on des rots et des pets ?

Si tu aspires trop d'air en mangeant, ton estomac gonfle. L'air ressort alors par ta bouche sous forme de gaz, en faisant un drôle de bruit (c'est un rot) ou passe par le gros intestin et sort par le derrière (c'est un pet).

Pourquoi j'ai mal au cœur en voiture ?

Quand la voiture roule, les organes de l'équilibre, situés dans ton oreille interne, informent ton cerveau que tu bouges. Si tes yeux regardent un point qui ne bouge pas, ils envoient le message inverse à ton cerveau. Celui-ci est un peu perdu : ta tête tourne, tu as envie de vomir !

Pourquoi je rougis quand je suis en colère ?

Parce que, quand tu ressens une forte émotion, le sang monte vite dans les petits vaisseaux cachés sous la peau très fine de ton visage. Ils grossissent pour laisser passer plus de sang. Tu deviens tout rouge.

Pourquoi je ris quand c'est drôle ?

Quand on te raconte une blague, que tu vois quelque chose de drôle ou qu'on te fait des chatouilles, tes sens envoient un message à ton cerveau qui l'analyse. Il déclenche alors ton rire en ordonnant aux muscles de se contracter. Quand tu ris, plus de 15 muscles de ton visage travaillent en même temps.